SPÀG

air an tràigh

Tha Spàgan air èirigh tràth.
'S e latha brèagha grianach a tha a-muigh.

Tha e fhèin agus am balach
agus an nighean a' dol
chun na tràghad. Tha iad a' dèanamh deiseil.
Bheir iad leotha plaide, glainneachan-dorcha,
biadh, aodach airson snàmh agus spaid
airson caisteal-gainmhich a thogail.
Bheir iad leotha cuideachd
an sgàilean seunta.

Tha Spàgan le ad
agus na glainneachan-dorcha.
Seall a' bhriogais bhrèagha a tha air!

’S ann air bus a tha iad a’ dol
chun na tràghad. Tha am bus làn dhaoine.
Tha iad uile a’ dol chun na tràghad
a chionn ’s gu bheil an latha cho teth.

Tha AN TRÀIGH sgrìobhte air a’ bhus.

Chan fhada gus am bi iad aig an tràigh.

Tha Spàgan agus am balach agus an nighean
shìos air an tràigh. Tha daoine nan sìneadh
agus nan suidhe air a' ghainmhich.
Tha Spàgan a' lorg àite far an cuir iad
na rudan a thug iad leotha
6   agus far am faigh e fhèin air laighe sìos.

Chan eil e furasta àite fhaighinn
oir tha tòrr dhaoine air an tràigh.
Chì Spàgan àite falamh
agus tha e fhèin agus a' chlann
a' coiseachd thuige.

7

'S e àite math a fhuair iad.
Tha e faisg air a' mhuir
agus tha gainmheach ghlan ann.
Tha rùm gu leòr aca agus faodaidh
Spàgan a dhol na shìneadh fon sgàilean.

Tha iad air a' phlaide a sgaoileadh
agus tha biadh aca oirre. Tha iad
nan suidhe ag ith.
Tha an nighean ag ith banana
agus tha am balach ag òl deoch.
Tha Spàgan ag ith pìosan le feòil
agus tha deoch aige cuideachd.
Tha an sgàilean rin taobh
agus tha iad air an dòigh ann an sin.

9

Tha Spàgan na shìneadh air a' ghainmhich.
'S ann a' leughadh a' phàipeir a tha e.
Tha e ag iarraidh sìth agus fois.

Tha a' chlann eile a' cruinneachadh.
Dh'fhaodadh iad caistealan a thogail
anns a' ghainmhich, ach 's ann a tha iad
a' dol a chluich falach-fead.

Tha iad ag iarraidh air Spàgan cluich.
Faodaidh esan falach an toiseach.

Tha Spàgan a' falach orra na chrùban
air cùl sgàilean chuideigin.
Chan fhiach sin. Tha Spàgan cho mòr
is gum faic iad e air cùl an sgàilein.

An uair sin tha e a' falach air cùl bùth
nan reòiteagan. Chan fhiach an t-àite sin
a bharrachd. Tha a' chlann ag èigheachd,
"Siud Spàgan. Tha sinne ga fhaicinn."

Chì a' chlann e a' stobadh a-mach
air cùl bùth nan reòiteagan.
Tha a cheann a' nochdadh agus tha a chasan ris.

Tha a' chlann ag ràdh ris gun a bhith
a' falach ann an àiteachan mar siud.
Tha e ro fhurasta a lorg.
Tha iad ag ràdh ris falach ann an àite mòr
far nach fhaic iad cho luath e.
Dh'fhaodadh e crùbadh air cùl creig.

Tha Spàgan ag ràdh ris fhèin,
'Tha iad ceart.
Ach an dùil càit an tèid mi?'

Smaoinich e an uair sin
gun cuireadh e gainmheach air a mhuin fhèin.
Bidh e fodha anns a' ghainmhich
agus chan fhaic a' chlann idir e.

Cha bhi seo furasta dha.
Feumaidh e gainmheach a thilgeil
air fhèin le a làmhan.
Chan eil math dha gluasad
no tuitidh a' ghainmheach gu lèir dheth.

Ach tha Spàgan gu math faiceallach
ciamar a chuireas e gainmheach air fhèin.
An toiseach, tha e a' còmhdach a chasan.
An uair sin, tha e a' còmhdach a mheadhain.
An uair sin, tha e a' còmhdach a bhroillich.
Tha e fodha a-nis bho a cheann gu a chasan.
Feumaidh e a cheann, a ghàirdeanan agus a
làmhan fhàgail saor.

Tha a' chlann ga lorg.
Tha iad a' faighneachd am faca duine Spàgan.
Tha iad a' faighneachd dha leadaidh
am faca ise Spàgan. 'S e leadaidh ghreannach
a tha seo. Tha i ag ràdh, "Mach à seo sibh!
Chan eil duine mar sin ann an seo."

Chan eil fhios càit an deach Spàgan an
turas seo.

Sheall iad fo ruga,
ach cha robh Spàgan ann.
Sheall iad fo sgàilean,
ach 's e bodach a bha ann.

Chunnaic iad dithis,
ach chan fhac' iad Spàgan.

Tha aon duine gan cuideachadh ga lorg fo
leabaidh-èadhair. Bu toigh leis Spàgan fhaicinn.
Tha e a' smaoineachadh
gu bheil a' chlann a' tarraing a chois.

Chan eil sgeul air Spàgan an àite sam bith.

Tha a' chlann ag ràdh, "Càit an deach e?
Chan eil e idir air an tràigh."

'S ann fon ghainmhich a tha Spàgan,
ach chan eil fhios acasan air an sin.
Tha e mar bheinn mhòr air an tràigh.
Tha e na shìneadh agus tha a
ghlùinean an-àirde coltach ri beinn.
Tha tiùrr mòr gainmhich air a mhuin.
Tha pàipear-naidheachd air aodann.

Nuair a sheallas a' chlann timcheall,
chan fhaic iad ach tiùrr mòr gainmhich.
Chan eil fhios aca gu bheil Spàgan ann. 27

Tha a' chlann a' cluich air an dùn.
Tha iad a' sreap suas air
agus a' slaighdeadh sìos air ais.

Abair gu bheil sin math!
Chì thu aodann Spàgain fon phàipear.
Tha na glainneachan-dorch air agus an
ad agus tha gàire air aodann.
Chan eil e a' gluasad gus nach tuit
a' ghainmheach.

Chan fhaic a' chlann Spàgan idir.
Tha iadsan a' cluich leotha fhèin.

Tha aon bhalach air toll a dhèanamh
a-steach fo chasan Spàgain.
Chan eil fios aig a' bhalach
gur e casan Spàgain a tha ann.

Tha a' chlann uile air an dòigh.
Leag balach eile beagan gainmhich
agus thàinig pìos aodaich ris.
Dh'aithnich e gur e briogais-shnàmh
Spàgain a bha ann. Chitheadh e
na flùraichean dearga.

Dh'èigh am balach,
"Seall seo. Fhuair mi rudeigin.
Tha Spàgan fon ghainmhich!"

Tha a' chlann a' cladhach
mar am beatha a-nis.
Feumaidh iad a' ghainmheach gu lèir
a ghlanadh air falbh.

Chì iad an toiseach
briogais-shnàmh Spàgain
agus an uair sin na casan fada aige.

Chan eil Spàgan a' gluasad.
'S dòcha nach eil fios aige fhathast
gum fac' iad e.

"Fhuair sinn thu!"
tha iad ag èigheachd.

Tha Spàgan ag ràdh, "Nach sibh
a thug an ùine."
Bha àite-falaich math aige.

Tha a h-uile duine anns a' mhuir.
Tha grèim aca air làmhan a chèile
agus tha iad a' ruith agus a' leum.
Abair gu bheil iad air an dòigh!